First published by The Five Mile Press,
Australia, 1984
Original Copyright: © Bob Graham, 1984
Titre original: *I can*

© Editions Dessain, Liège, 1990
pour la version française
D 1990-0107-7
ISBN 2-502-00040-8

Exclusivité en France et en Suisse:
Editions Bias, Lyon
Dépôt Légal 4ᵉ trimestre 1990
ISBN 2 7015-0434-1
Loi n° 49956 du 16 juillet 1949 sur les publications destinées à la jeunesse.

Exclusivité au Canada:
Editions Héritage Inc., St Lambert, Québec
Dépôt Légal 4ᵉ trimestre 1990
ISBN 27625-6550-2

Imprimé en Belgique.

L'eau

Je flotte.

Je plonge.

Je nage.

Je rame.

Je m'éclabousse.

Je patauge.

Je pêche.

Actions 1

Je me balance.

Je grimpe.

Je lance.

J'attrape.

Je marche.

Je saute.

Je danse.

Actions 2

Je monte en courant.

Je descends en courant.

Je cours moins vite.

Je cours vite.

Je cours dans l'eau.

Je m'enfuis en courant.

Je cours en rond.

Les cinq sens

J'entends la radio.

Je touche la tête de Tom.

Je sens l'odeur du poisson.

J'écoute le canari.

Je regarde le ciel.

Je goûte une sucette.

Je caresse les poussins.